Savais-tu?

Les Guêpes

Savais-tu?

Les Guêpes

Alain M. Bergeron
Michel Quintin
Sampar

Illustrations de Sampar

ÉDITIONS
MICHEL
QUINTIN

Catalogage avant publication de Bibliothèque et Archives nationales du Québec et Bibliothèque et Archives Canada

Bergeron, Alain M., 1957-

Les guêpes

(Savais-tu? ; 24)
Pour enfants de 7 ans et plus.

ISBN 978-2-89435-274-8

1. Guêpes - Ouvrages pour la jeunesse.   2. Guêpes - Ouvrages illustrés. - Ouvrages pour la jeunesse. I. Quintin, Michel . II. Sampar. III. Titre. IV. Collection : Bergeron, Alain M., 1957-   . Savais-tu? ; 24.

QL565.2.B47 2005   j595.79   C2004-942130-1

Révision linguistique : Rachel Fontaine

La publication de cet ouvrage a été réalisée grâce au soutien financier du Conseil des Arts du Canada et de la SODEC. De plus, les Éditions Michel Quintin bénéficient de l'aide financière du gouvernement du Canada par l'entremise du Programme d'aide au développement de l'industrie de l'édition (PADIÉ) pour leurs activités d'édition.

Gouvernement du Québec – Programme de crédit d'impôt pour l'édition de livres – Gestion SODEC

ISBN 978-2-89435-274-8
Dépôt légal - Bibliothèque et Archives nationales du Québec, 2005
Dépôt légal - Bibliothèque et Archives Canada, 2005

Éditions Michel Quintin
C.P. 340, Waterloo (Québec)
Canada J0E 2N0
Tél.:   450 539-3774
Téléc.: 450 539-4905
www.editionsmichelquintin.ca

0 7 - M L - 2

Imprimé au Canada

Savais-tu que les couleurs contrastantes de la guêpe, le jaune et le noir, la mettent en évidence et indiquent qu'elle représente un danger?

Savais-tu que les guêpes vont piquer de leur dard quiconque les menace ou représente un danger pour leur nid?

Savais-tu que, contrairement à l'abeille, la guêpe ne meurt pas après avoir piqué? Son aiguillon lisse ne lui déchire pas l'abdomen quand elle le retire de sa proie, comme cela se produit chez l'abeille qui, elle, a un dard hérissé de pointes.

Savais-tu que la guêpe peut piquer sa victime une dizaine de fois en une seule minute?

Savais-tu que la guêpe injecte un véritable poison, qui a un effet paralysant sur les insectes? Il existe d'ailleurs une espèce de guêpe capable de paralyser des tarentules de la grosseur d'une main.

Savais-tu qu'à chaque piqûre la quantité de poison injecté est infime? Il faudrait 50 000 guêpes pour produire une seule cuillerée à thé de venin.

Savais-tu que 1 % de la population mondiale environ est très sensible à ce venin? Ces personnes ont une réaction si violente aux piqûres de guêpe qu'elles peuvent en mourir

en moins d'une heure. D'ailleurs, aux États-Unis, une cinquantaine de personnes y succombent chaque année.

Savais-tu qu'il ne faut surtout pas effaroucher une guêpe qui joue au pique-assiette? Mieux vaut rester calme pour éviter de se faire piquer.

Savais-tu que lorsqu'on écrase cet insecte, il relâche une phéromone qui incite les autres guêpes à accourir pour s'en prendre à l'agresseur?

Savais-tu que des centaines de piqûres peuvent être mortelles à cause de la grande quantité de venin injectée? Inutile de dire qu'il vaut mieux s'enfuir rapidement lorsque les guêpes attaquent en groupe.

Savais-tu que, comme les abeilles, les guêpes se repèrent grâce à la position du soleil? Elles sont capables de mémoriser l'angle de leur trajectoire de vol par rapport à celui-ci.

Savais-tu que le nid des guêpes peut être souterrain ou aérien? Il peut se situer à l'intérieur d'un tronc d'arbre, dans une fente de rocher, suspendu à un arbre, sous une corniche, etc.

Savais-tu que, peu importe le lieu et la forme de son nid, qu'il soit composé d'une ou plusieurs alvéoles, la femelle pond un seul œuf par alvéole?

Savais-tu que les guêpes sont soit solitaires, soit sociales, selon les espèces? La majorité des milliers d'espèces qui existent dans le monde sont solitaires.

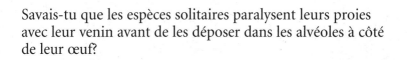

Savais-tu que les espèces solitaires paralysent leurs proies avec leur venin avant de les déposer dans les alvéoles à côté de leur œuf?

VOULEZ-VOUS UN MORCHEAU, MADAME LA CHENILLE ?
CH'EST DÉLICHIEUX !

Savais-tu qu'en plus de ne pouvoir s'échapper, les insectes ainsi paralysés restent frais et comestibles? Alors, quand l'œuf éclôt, la larve a de quoi se nourrir.

Savais-tu que, pour leur part, les espèces sociales nourrissent leurs jeunes de bouchées d'insectes qu'elles ont d'abord mâchées?

Savais-tu que la guêpe maçonne, une espèce solitaire, est appelée ainsi parce qu'elle construit son nid avec un mélange de salive et de particules de terre? Certains de ces

nids ressemblent à une amphore grecque mesurant
de 1 à 2 centimètres de diamètre.

Savais-tu que les guêpes à papier sont les espèces sociales les mieux connues? Leurs nids ou guêpiers sont fabriqués d'une sorte de papier formé de particules de bois qu'elles ont mélangées à leur salive.

Savais-tu que, pendant l'été, le guêpier s'agrandit à mesure que la colonie s'accroît? Selon les espèces, ces colonies peuvent compter plusieurs milliers d'individus.

Le plus gros guêpier trouvé aux États-Unis mesurait 4 mètres de haut sur 2 mètres de large et contenait entre un demi-million et un million d'ouvrières.

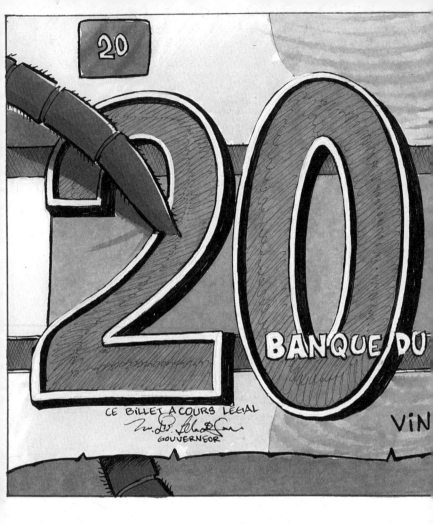

Savais-tu que chaque colonie se compose d'une reine fondatrice et d'ouvrières? Les ouvrières sont des femelles incapables de se reproduire.

Savais-tu que c'est aux ouvrières que revient le rôle de
récolter la nourriture, d'assurer l'élevage des larves et
d'agrandir le nid? La reine, la plus grosse guêpe de la
colonie, n'assure que la ponte.

Savais-tu que dans la colonie, c'est seulement à la fin de l'été que quelques mâles verront le jour? Au même moment naîtront aussi quelques femelles qui pourront être fécondées.

Savais-tu que les mâles n'ont pas de dard et qu'ils servent uniquement à des fins de reproduction?

Savais-tu que la vieille reine, les mâles et les ouvrières de la colonie meurent tous à l'automne? Seules quelques femelles fécondées survivront à l'hiver.

Savais-tu que ces femelles fécondées sont des futures reines? Mais d'abord, elles devront abandonner le guêpier pour aller passer l'hiver en léthargie, bien abritées dans le sol, sous une toiture, dans un trou d'arbre, etc.

Savais-tu qu'elles ressortent au printemps pour construire un nouveau nid et fonder une nouvelle colonie?

Savais-tu qu'elles s'installent rarement dans un nid existant? Par contre, elles réutilisent parfois le papier des anciens nids pour construire un nouveau guêpier.

Savais-tu que les guêpes sont très utiles? En plus de se nourrir d'un grand nombre d'insectes nuisibles, elles participent à la pollinisation en butinant le nectar des fleurs.